Ceredigion

Wrth fy Nhraed

At my Feet

Iestyn Hughes

Cyhoeddwyd yn 2016 gan / Published in 2016 by:
Gwasg Gomer, Llandysul, Ceredigion SA44 4JL
gomer.co.uk

ISBN 978-1-84851-751-6

Cyhoeddwyd gyda chymorth ariannol Cyngor Llyfrau Cymru

Published with financial support from the Welsh Books Council

Argraffwyd a rhwymwyd yng Nghymru gan

Printed and bound in Wales by:

Gwasg Gomer, Llandysul, Ceredigion.

Rhagair

Canlyniad chwilen a gefais yn fy mhen yw'r llyfr hwn – un a
ddatblygodd yn fuan ar ôl i mi adael y Llyfrgell Genedlaethol, lle
bûm yn gweithio am flynyddoedd lawer. Cefais fy hun yn cofnodi efo
camera yr hyn a welwn wrth grwydro braidd yn ddiamcan ar hyd y
lonydd cefn gwlad sy'n amgylchynu fy nghartref. Gwnâi'r camera
i mi sylwi ar bopeth – yr annisgwyl, y rhyfedd, y prydferth, y trist a'r
di-nod. Roedd ailddarganfod ffotograffiaeth yn adfywiad i mi, yn
agor fy llygaid o'r newydd. Dechreuais sylwi ar bopeth o safbwynt
gwahanol, ac fe roddai'r weithred o greu darlun ryw deimladau o
fwyniant a rhyddid i mi.

Gan na fûm i erioed yn berson digyfeiriad, teimlais fod angen pwrpas,
ffiniau a strwythur i'r hyn yr oeddwn yn ei wneud, rhyw ofod lle gallwn
ddatblygu fy sgiliau ac a oedd â rhyw bwrpas iddo yn y pen draw.

Mae dyddiau cynnar rhywun (treuliais ddyddiau fy mebyd yn Sir Fôn)
yn anhygoel o bwysig i greu teimlad o berthyn a chymuned, a doedd
gen i ddim o'r fath ymlyniad emosiynol wrth Geredigion, ac felly y
tyfodd y syniad o brosiect ffotograffig wedi'i seilio ar y sir. Fe fyddai'n
fy nghael i allan o'r tŷ, o leiaf, ac ar y gorau yn gwneud imi deimlo'n
llai o ddieithryn – yn llai o 'Gardi dŵad'. Prynais offer gwell, gwisgo fy
esgidiau cerdded, a chrwydro ymhellach oddi cartref, yma ac acw,
a dechrau ymgyfarwyddo â'r dirwedd a'r bobl o 'nghwmpas. Yna,
drwy gyd-ddigwyddiad, fe holodd Gwasg Gomer a fyddai gennyf
ddiddordeb mewn paratoi llyfr o luniau o Geredigion, hen a newydd.
A dyma fi, sawl blwyddyn yn ddiweddarach, yn llunio'r rhagarweiniad
i'r llyfr hwn, a'm harweiniodd igam-ogam ar draws y sir i geisio dal
naws y lle, yn y gobaith o allu cyfleu hynny drwy gyfrwng lluniau.

Er fy mod wedi treulio mwy o amser yn byw yn ardal Aberystwyth
nag yn unman arall, doeddwn i ddim yn adnabod y sir yn dda o
gwbl. Nid yw 'Aber' yn teimlo'n rhan o unrhyw sir. Mae'n unigryw, yn
hunangynhaliol o ran ei diwylliant, ac mae iddi ryw naws sy'n ei gosod
mewn byd bach ar wahân. Nid Ceredigion yw Aberystwyth. Roedd
gweddill y sir, yn enwedig y de, yn ddirgelwch i mi. I ble y dylwn i fynd?
Beth oedd i'w weld yno? Beth oedd hanes y lle? Fe holais Gardis
go iawn, pobl 'Shir Aberteifi' o'r crud. Fe ddaeth yn amlwg yn fuan

Foreword

This book is the result of a minor obsession which developed fairly
soon after I left the National Library of Wales in Aberystwyth, where
I worked for many years. I found myself wandering rather aimlessly
through the lanes around my home, documenting what I saw with
my camera. There were odd things, bizarre things, beautiful things
as well as the sad and the mundane. Rediscovering photography
was as if I'd opened a youthful eye on the world, viewing the same
old from a new perspective. I began to see anew, and the deliberate
act of photography gave, and continues to give, a sense of joy and
liberation.

However, never having been an aimless person, I felt that I needed an
idea, a cocoon, a structure within which I could develop my skills, and
which had some end purpose.

Our formative years (mine were spent in Anglesey) are incredibly
important in forging a sense of belonging and community, and I
lacked such an emotional bond with Ceredigion. So the idea of a
photographic project based on Ceredigion formed in my mind. At the
very least, it would get me out of the house and at best, it might help
me feel less of a stranger to the place. I upgraded my camera gear,
put on my boots, and began a long process of wandering here, there
and everywhere, getting acquainted with parts of the landscape and
some of the people around me. Then, by chance, I was approached
by Gomer, wondering if I was interested in preparing a book of images
of Ceredigion, old and new. Here I am, a few years later, typing this
preamble, having traversed the county innumerable times trying to
find the essence of the place, in the hope of being able to convey my
impressions in images.

I'd spent longer living in the Aberystwyth area than anywhere else,
but I didn't know the county well. 'Aber', as it's known, doesn't feel
like a part of any county. It's unique, and has a level of cultural
self-sufficiency and 'otherness' which puts it in a world of its own.
Aberystwyth is not Ceredigion. Therefore, the rest of the county,
especially the south, was a mystery to me. Where should I go? What
was there to see? What story should I be telling? I asked around,

iawn nad oedd trigolion gogledd y sir yn gwybod rhyw lawer am y de, na phobl de'r sir yn gwybod nac yn poeni llawer am y gogledd. Fe wyddai pawb am Aberystwyth, felly roedd gennym oll rywbeth yn gyffredin. Lluniais ambell bos darluniadol o lefydd yr oeddwn yn tybio y bydden nhw'n adnabyddus – ac fe gadarnhaodd yr ymatebion nad 'un lle' yw'r sir. Mae Ceredigion wedi'i rhannu'n ddwy ran o leiaf, a hollt anweledig ar ei thraws yn dilyn llwybr o gyfeiriad Synod Inn draw i Landysul. O wrando ar yr acenion a'r eirfa, fe dybiwn fod sawl ffin ieithyddol yn y sir hefyd.

Serch hyn, mae'r Cardis o bob cwr o'r sir yn rhannu'r un hanes o galedi, o ymfudo, o wrthryfela yn erbyn anghyfiawnderau cymdeithasol a'r 'sefydliad', o wleidyddiaeth ryddfrydig a radical, traddodiad yr iaith Gymraeg, a'r cyfan yn gwreiddio'r bobl.

Mae 'dal' y lle fel ceisio creu portread o laslanc sy'n gwrthod eistedd yn llonydd. Y gorau y gallaf ei wneud yw cynnig argraff o'r 'ddoe a'r heddiw', gyda phlorod, heb blorod, rhywfaint ohoni'n bresennol go iawn, rhywfaint yn deillio o'r dychymyg rhamantaidd, a rhywfaint ohoni wedi mynd am byth. Mae manylion a geiriau'n dueddol o lithro o'r cof, gan adael dim ond argraff. Gobeithio bod fy argraffiadau i'n ddiddorol ac yn gadael rhyw ôl.

Yn ystod y daith hir i gyrraedd y fan hon, byddwn i'n ei chael hi'n anodd gwybod beth fyddai'r llyfr ar adegau, heblaw ei fod wedi'i seilio ar siwrnai o fath. Roeddwn i'n gorfod diffinio'r hyn yr oeddwn yn ei wneud drwy'r hyn nad oedd o i fod, fel petai. Nid llyfr hanes ydyw, er ei fod yn cyffwrdd â'r gorffennol. Nid yw'n llyfr taith, er ei fod yn ymweld â llawer o lefydd. Nid llyfr o dirluniau wedi'u ffiltro'n gelfydd ydyw chwaith, oherwydd rwy'n ymgyrraedd at naturioldeb yn fy lluniau. Nid yw'n gatalog cynhwysfawr a rhesymegol o bob man yn y sir, nac yn llyfr o luniau dwys, tywyll, symbolaidd. Siwrnai weledol ydyw – cyfuniad o luniau o'r gorffennol y sylwais arnynt yn ystod fy amser fel curadur, a chofnod diweddar, eiliad mewn amser wedi'i dal drwy fy lens i, ac un y gallai unrhyw un ei phrofi petai'n teithio o gwmpas y sir mewn ysbryd ymchwilgar a meddylgar.

Mae tirlun Ceredigion wedi ysbrydoli artistiaid, llenorion a phobl greadigol ers cyn cof, a beth bynnag a ddaw ohonom, a phe bai'r edau frau sy'n ein clymu wrth ein gwreiddiau yn cael ei thorri, fe fydd cymeriad ysbrydoledig y tir yn siŵr o oroesi. Nid yw prydferthwch wedi'i gyfyngu i awyr las a thraethau'r Ymddiriedolaeth Genedlaethol chwaith. Mae'n bodoli hefyd yn y bryniau llwm, yn llwybrau geirwon yr ucheldir a'r llynnoedd bach llwyd, yn wir yn y 'diffeithwch' gwag

meeting proper Cardis, born and bred 'pobl Shir Aberteifi'. It emerged that few I met from the north of the county knew much about the south and vice versa. Everyone knew of Aberystwyth, so we all had something in common. I tried a few visual quizzes here and there, pictures which I thought were of fairly obvious landmarks – a kind of 'Where am I?' from around the county – and the results confirmed it. Ceredigion is a place of at least two parts, with a dividing line somewhere around an imaginary fissure from Synod Inn towards Llandysul.

There is, however, a common shared history – of hardship, emigration, of rebellion against social injustice and the establishment, of liberal, radical politics – all of which pervades the county from top to bottom, and grounds the people. There is also a common Welsh-language tradition dating back well over a thousand years.

Capturing the county is like trying to paint a portrait of a bored teenager who won't sit still. The best I can do is to offer a glimpse of a 'then and now', with or without the blemishes, some of it real, some of it imagined and idealized, some of it lost forever, in the hope of leaving an impression. After all, as details, words and images fade away, all that remains is an impression. I just hope it's an interesting and lasting one.

During the long trek to get to here, I found it difficult to know what precisely the book was to be, other than that it would be based upon some kind of journey. When asked, I was perpetually defining and defending it against a benchmark of what it is not 'supposed' to be. It is definitely not a history, though it touches upon the past. It is not a guidebook, though it describes many places. It is not a book of filtered landscapes, as I aim for a level of naturalness in my picture-making. It is not a cold, logical, mapped-out, balanced catalogue of places or people, nor a book of deep, dark, artistic symbolism. It is a visual journey – a combination of past impressions, formed from pictures I saw and was sometimes captivated by as a curator over many years, and a contemporary pictorial record, a moment in time that anyone can experience for themselves now, if they travel thoughtfully around the county.

The beauty of the Ceredigion scenery has touched artists and writers, creative people of all kinds since time immemorial, and whatever becomes of us, and if all the slender threads that tie us to our roots are cut, the inspiring character of the land will surely remain forever. But beauty is not all blue skies and National Trust beaches. It also resides

sy'n nodweddiadol o gymaint o'r dirwedd. Mae'n bodoli nid yn unig yn yr hafau heulog a machludoedd gwaedlyd yr hydref, ond hefyd yn yr eira a'r eirlaw, yn y niwloedd a lliwiau tawel y corsydd, ac ym murmur y twyni tywod wrth i'r gwynt eu cribo dros fisoedd y gaeaf. Mae tirwedd garw ucheldir gogledd y sir yn sefyll yn falch ac yn amlwg yn ei holl ogoniant ffurfiannol, fel tywysog mewn drama oesol. Mae Mynyddoedd y Cambrian, neu Elenydd, felly, yn ddylanwad mawr arnaf. Cyfrannodd bryniau egr y gogledd a'r dwyrain, tiroedd ir afonydd y de, a chilgant enfawr arfordir Bae Ceredigion at fowldio'r bobl – pobl wydn, gadarn, ac annibynnol eu barn.

Ym mhle y dylwn i gychwyn ar yr hen siwrnai 'ma? 'Wrth fy nhraed', fel y dywed rhai. Wrth fy nhraed i roedd degawdau o warchod trysorau a deunydd pob dydd rhai o gasgliadau'r Llyfrgell Genedlaethol. Ble gwell i ddechrau na theithio yn ôl ac ymlaen mewn amser, am wythnosau hiraethus, yn pori dros hen luniau o bob math?

Rwy'n falch o'r cyfle y mae'r gyfrol hon yn ei gynnig i gyflwyno peth o waith hyfryd artist dienw i sylw cynulleidfa newydd. Does neb yn gwybod pwy yw'r 'Arlunydd Cyntefig Cymreig', ond mae peintiadau gan yr un llaw yn y Llyfrgell Genedlaethol ac yn Amgueddfa Caerfyrddin, ac mae llawer ohonynt yn darlunio teulu'n ymweld â llefydd hardd neu adnabyddus. Rwy'n hoffi meddwl amdanynt fel 'hunluniau' cynharaf y sir! Wna i byth anghofio dod ar eu traws am y tro cyntaf, ac maen nhw'n rhan o'r ysbrydoliaeth y tu cefn i'm siwrneiau o gwmpas y sir. Fe fyddaf yn ymweld â nhw yn aml yn y gyfrol, felly hefyd ffotograffau o chwarter olaf y bedwaredd ganrif ar bymtheg gan John Thomas, oedd yn enedigol o Gellan, ger Llanbed, ynghyd ag ambell lun o ganol yr ugeinfed ganrif gan Geoff Charles, a fu'n ddylanwad mawr ar fy ffotograffiaeth. Fe fu yntau'n byw yng Ngheredigion am rai blynyddoedd, ac fe gyflwynodd ei gasgliad enfawr o negyddion ffotograffig i'r Llyfrgell Genedlaethol.

Y siwrnai arall oedd yr un gorfforol. Mae'r sir yn fawr. Nid yw'r ffyrdd o'r radd flaenaf. Mae teithio o gwmpas yn cymryd amser; nid yw'n ddelfrydol ceisio teithio o gwmpas y sir heblaw mewn dull reit hamddenol. Pe bai'r sir yn gar, hen Land Rover fyddai, yn hytrach na Ferrari. Ar ôl ymgyfarwyddo â chyflymder neu rythmau naturiol ffyrdd y Cardi, roedd raid i'r siwrneiau ymestyn fel adenydd olwynion i bob cyfeiriad o 'nghartref ger Aberystwyth. Yn naturiol felly, rwy'n cyfaddef bod rhywfaint o ogwydd tuag at ogledd y sir yn y llyfr. Roedd ymweld â'r de yn y diwedd (wedi gormod o siwrneiau undydd blinedig a seithug) yn golygu aros yno am sawl noson. Yn ystod rhai o'r arosiadau hyn y daeth natur oriog y tywydd yn amlwg. Fe all fod

in the hills, the shaggy mountains, the broken upland tracks and tiny grey lakes, in the sheer emptiness of so much of the place. It resides not just in sunny summer, or even the blood-red autumnal sunsets, but also in the snow and the sleet, the hovering mists and the subdued wintry colours of the peat bogs, the murmur and shiver of the wind-raked dunes. The harsh north Ceredigion landscape stands proud in all its formative beauty, like a major character in an ancient drama. The Cambrian Mountains, or Elenydd, are therefore a huge influence on my perception of the county. The bitter earth of the uplands of the north and east, the rich banks of the southern rivers and the huge sweep of the Cardigan Bay coastline helped mould a people – hardy, resilient and fiercely independent.

Where should I start this new journey of mine? 'Wrth fy nhraed' – at my feet, as they say – was the best place to begin. At my feet lay decades of living with the treasures and the mundane artefacts which rest in the collections of the National Library. So my work began there, in weeks of nostalgia, delving back through pictures and photographs, of travelling back and forth in time.

I was glad of this opportunity to bring some of the delightful work of an anonymous artist to a new audience. No-one knows who the 'Welsh Primitive' was, but there are paintings by the same hand both at the National Library and Carmarthen Museum, and they often depict a family visiting picturesque locations. I like to think of them as the earliest family 'selfies' from the county! I'll never forget seeing them for the first time, and they are part of the inspiration for my own journeys. I'll therefore visit them often; so too the nineteenth-century photographs by John Thomas, a native of Cellan, near Lampeter, as well as a few by the twentieth-century photojournalist Geoff Charles, who has been a great influence on me. He spent many years living in Ceredigion, and donated his vast collection of negatives to the National Library.

The other journey is the physical one. The county is big. The roads are not too good. Getting around takes time: you cannot traverse Ceredigion except in a leisurely way. If the county were a car, one would describe it as being designed for comfort, not for speed. Having eventually settled to a Cardi pace, the journeys generally had to radiate out from my home near Aberystwyth, and so inevitably, hands up, there's a northern bias. Visiting and learning about the south required a different tactic. Following many one-day sorties, it became obvious that longer stays were required to maximize the learning and photographic potential of any visits. It was during

yn braf iawn ar yr arfordir, ond yn oer ac yn wlyb ac yn ddiflas tua'r mewndir, ac i'r gwrthwyneb.

Mae llawer o'r llefydd mae gen i luniau ohonynt yn rhwydd i'w cyrraedd mewn cerbyd. Wrth i chi droi'r dalennau, fe fyddwch yn teithio, yn fras iawn, i gyfeiriad y dwyrain a'r mannau uchel, gweigion hynny sy'n pefrio o hen hanes, yna'n 'dilyn y cloc' o gwmpas y sir, gan bicio i mewn i'r canol o dro i dro, draw at aber afon Teifi, i fyny'r arfordir at afon Dyfi, ac wedyn i lawr am dro ar y prom yn Aberystwyth. Ambell waith fe fydd gen i un droed mewn sir gyfagos.

Yn y pytiau byr sy'n disgrifio'r lluniau, fe welwch fy mod i wedi ceisio cysoni ffurfiau'r enwau lleoedd, a hynny gan ddilyn y cyfeirlyfr safonol diweddaraf, sef *Y Llyfr Enwau: Enwau'r Wlad* gan D. Geraint Lewis. Y lle efo'r nifer fwyaf o ffurfiau y deuthum ar ei draws oedd Cwmtudu, sy'n tarddu, efallai, o'r enw Tudur, ac nid 'tŷ' na 'du' na 'di' …

Mae fy nyled yn fawr i Elinor Wyn Reynolds am gomisiynu'r siwrnai, ac i Luned Whelan am ei holl gymorth ac anogaeth, heb sôn am ei gallu golygyddol wrth gywasgu'r hyn oedd yn dechrau troi'n gyfrol o faint beiblaidd yn gyfrol hygyrch. Diolch i John B. Lewis o Gomer am ei sylwadau adeiladol, a holl staff y cwmni a ddangosodd gymaint o ddiddordeb yn y gwaith. Diolch i fy ngwraig, Marian, am ddioddef yn weddol dawel, i staff y Llyfrgell Genedlaethol, Amgueddfa Caerfyrddin, ac i Will Troughton, Simon Evans, Nic Dafis a Lona Mason am eu cymorth. Diolch yn ogystal i Mr Tegwyn Lewis, Rhosgoch, Mr Emyr Davies, Llety Ifan Hen, a Mr D. Arch yn Ystrad-fflur am ganiatáu i mi dynnu lluniau yn eu heiddo ac ar eu tir, i'r ffotograffwyr hynny y deuthum i'w hadnabod ar y daith ac a fu'n gymorth gyda'u cyngor a'u hanogaeth, yn enwedig Marian Delyth a Janet Baxter. Diolch yn arbennig i'r holl Gardis y bu eu harweiniad, eu cynhesrwydd a'u didwylledd yn ysbrydoliaeth ac yn fodd i wneud y siwrnai'n werth chweil.

Iestyn Hughes
Mawrth 2016

some of these jaunts that I came to hate the variable weather that is a notable aspect of the county. It may be bright and sunny and photogenic on the coast, but venture inland for an hour and it can be depressingly grey and wet, or vice versa.

Many of the places I've photographed are easy to reach by car. As you turn the pages, you're taken, more or less, on a journey eastwards to the remote uplands, then clockwise around the county, popping inland now and again, up the coast from the Teifi right up to the Dyfi, sometimes setting foot in neighbouring counties, then home sweet home again, back to Aberystwyth.

In the short captions to the pictures, I felt after much debate that I had to standardize place-names to a great extent, so I've used the forms found in the latest standard work on the subject, *Y Llyfr Enwau: Enwau'r Wlad: A check-list of Welsh place-names*, by D. Geraint Lewis. The place I came across which had the most variations in use was Cwmtudu, which may come from the personal name Tudur, not 'tŷ' (house), or 'du' (black) or 'di' …

My thanks are due to Elinor Wyn Reynolds for commissioning my journey, and to Luned Whelan for all her help and encouragement, not to mention her editorial prowess in squeezing what might have become a tome of biblical proportions into a manageable volume, as well as John B. Lewis for his valuable insights, and the other staff members at Gomer who showed so much interest in the work. Thanks also to my wife, Marian, for putting up with me in general, to the staff of the National Library of Wales and Carmarthen Museum, and to Will Troughton, Simon Evans, Nic Dafis and Lona Mason for their help. Thanks also to Mr Tegwyn Lewis, Rhosgoch, Mr Emyr Davies, Llety Ifan Hen and Mr D. Arch at Strata Florida for allowing me to photograph on their land and property. I had many an encouraging word from other photographers on the way, and my thanks go to them, in particular Marian Delyth and Janet Baxter. Thanks especially to all the other Cardis whom I met along my route, whose guidance, warmth and sincerity made the journey worthwhile.

Iestyn Hughes
March 2016

8

Am dro i gyfeiriad Nant-y-moch

Heading towards the hills and Nant-y-moch

Lleuad lawn dros Bumlumon

Moon rising over Plimlimmon

(Arlunydd Cyntefig Cymreig / Welsh Primitive)

Drosodd / over

Llety Ifan Hen, Bont-goch

Llety Ifan Hen

Hel y defaid i'w dosio

Rounding up sheep ready for dosing

Bont-goch

Ffyrdd cefn gwlad!

Rural lanes!

Ffens ar hyd y bryn

Fence across the high ground

Rhos-goch

Pacio gwlân

Packing fleece

Gwenffrwd

Cneifio yn yr (ucheldir)

Sheep shearing in the uplands

uchaf ~ high   uchaf gêr
aor
isel ger

Maesnant

Nant-y-moch, 1956

Hel defaid

Gathering the flock

(Geoff Charles)

Y tudalennau blaenorol / previous pages

Craig yn hollti – godre Pumlumon

Outcrop, en route to Pumlumon

Cofeb brwydr Hyddgen (1401) pan orchfygwyd byddin Harri IV a oedd yn cynnwys hurfilwyr Fflemaidd o Sir Benfro gan luoedd Glyndŵr. Roedd yn frwydr waedlyd iawn, a gelwir y bryn i'r dwyrain o Nant-y-moch yn 'Bryn y Beddau'.

Battle of Hyddgen (1401) memorial. Owain Glyndŵr's army fought a much larger force assembled by Henry IV which included Flemish mercenaries recruited from Pembrokeshire. It was an extremely bloody battle, and the slope to the east of Nant-y-moch is known as Bryn y Beddau – 'Hill of Graves'.

Pumlumon Fawr
Dan eira
Under snow

Capel Blaenrheidol, Nant-y-moch, 1956. Boddwyd y capel a'r fferm gyfagos wrth greu cronfa ar gyfer cynllun trydan dŵr y Rheidol. Derbyniwyd £4020 o iawndal.

Blaenrheidol chapel, Nant-y-moch, in 1956. The chapel and nearby farm were drowned during the construction of the Rheidol hydroelectric scheme. £4020 was paid in compensation.

(Geoff Charles)

Nant-y-moch

Buwch ger yr argae   Cow near the dam   Buey cerca de la presa.

Highland cow

Nant-y-moch

Yr argae

The dam

Ponterwyd

Aros am dreialon cŵn defaid

Awaiting the sheepdog trials

Aros n wait

Ponterwyd

Ceffyl mewn côt goch

Horse, modelling a red coat

Ponterwyd

Corlan yr ŵyn anweledig

Sheepfold

Eisteddfa Gurig

Ar y ffin â Phowys, a man cychwyn y prif lwybr i fyny Pumlumon, dan eira

The starting point for the main path up Pumlumon and last stop to the east in Ceredigion, under snow

Ponterwyd / Ystumtuen

Isorsaf drydan

Substation

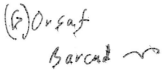

(I)Orsaf
Barcud

Ystumtuen yn yr haf
Summer at Ystumtuen

uwchlaw
uchaf high
uwchlaw'r

Bwlch Nantyrarian

Barcud uwchlaw'r
safle bwydo

A red kite above the
feeding area

Jezreel, Goginan

Hen gapel y Bedyddwyr

The former Baptist chapel

Old + chapel

Hen + Capel

= Hen Gapel

Goginan

Cystadleuaeth bwganod brain

Scarecrow competition

Afon Rheidol

River Rhydol

(Arlunydd Cyntefig Cymreig / Welsh Primitive)

Cwmrheidol

← H₂⁰

Tyrbiniau trydan dŵr gwreiddiol 'Francis', o 1961

The original 1961 'Francis' hydroelectric turbine runners

Trydan = electricity

Troedrhiwsebon, Cwmrheidol

Capel Bethel

Bethel Wesleyan chapel

Cwmrheidol

Adlewyrchiadau hydrefol

Autumnal reflections

Gwaith = work

(Mutates to waith

Tomen yr hen waith

Scree at the disused mine

the Old Works

Llanfihangel-y-Creuddyn

Reredos a gerfiwyd gan ffoadur ifanc o Wlad
Belg, Jules Bernaerts, 1919, eglwys San Mihangel

Reredos carved in 1919 by a young Belgian
refugee, Jules Bernaerts, at St Michael's church

Defaid gwarchodol, mynwent eglwys San
Mihangel

Greeting party at St Michael's church cemetery

Swyddfa bost Llanfihangel-y-Creuddyn. Un o'r ychydig bentrefi fu'n 'ddiolchgar ddwywaith', gan na chafodd neb oddi yno ei ladd yn y ddau Ryfel Byd.

Llanfihangel-y-Creuddyn post office. One of only a few 'doubly thankful' villages, where no-one was killed in either World War.

(Arthur Lewis)

Rhaeadr ger Pontarfynach
The Frwd near Devil's Bridge

(Arlunydd Cyntefig Cymreig / Welsh Primitive)

Should read
"Waterfall nr p___"   frwd
                             = enthusiast

Rhaeadr
bit lik
Rg Rhyader

Probly
mistaken t
Rhyader
Raeadr

Blwch yr AA, Pontarfynach

Old AA telephone box, Devil's Bridge

er   Blwch = Shoulder
              and ?
              Phone Box ? Yes !

         blwch ffôn

er I read on iphone

BWLCH = GAP
                  aot Shoulder
y pentref 'Bwlch' is hardly in a 'gap'
Its on Shoulder of hill !
                    (Beyond
                     Glittars)

                  Ysgwydd

Winifred (1885), *Sybil Mary* (1906)

Ar lein fach Rheilffordd Cwmrheidol i Bontarfynach

Shunting carriages on the Vale of Rheidol line to Devil's Bridge

lein fach = little line or 'narrow gauge'

Trên y *Rheidol*, ar y lein fach tua 1910

Vale of Rheidol engine *Rheidol* c. 1910

(Arthur Lewis)

lein

40

Plasty'r Hafod gan John 'Warwick' Smith (1749–1831) o'r llyfr *Y Daith i'r Hafod*. Crëwyd ystad hardd Hafod Uchtryd gan Thomas Johnes (1748–1816). Yn dilyn tân yn 1807, a marwolaeth merch Johnes yn 1811, fe ddaeth diwedd trist i'r ystad. Mae Ymddiriedolaeth yr Hafod ynghyd â Chyfoeth Naturiol Cymru yn ceisio adfer peth o'r hen ysblander.

Hafod House by John 'Warwick' Smith (1749–1831) from the book *A Tour of Hafod*. The picturesque Hafod Uchtryd estate was the creation of Thomas Johnes (1748–1816). Following a fire in 1807, and the death of Johnes's daughter in 1811, the estate fell into ruin. The Hafod Trust, together with Natural Resources Wales, are engaged in trying to restore some of the former splendour.

Rhaeadr yr Hafod

Cavern Cascade

(John 'Warwick' Smith)

Eglwys yr Hafod

Hafod church

Y tu mewn i
eglwys yr Hafod
yn dilyn tân
difrifol yn 1932

Interior of Hafod
church following
a devastating
fire in 1932

(Arthur Lewis)

Rhaeadr Lefel
Lampwll yr Hafod

Cavern cascade
at Hafod

Cwmystwyth

Rhaeadr

Waterfall

Cwm Ystwyth = Valley 1 R. Ystwy

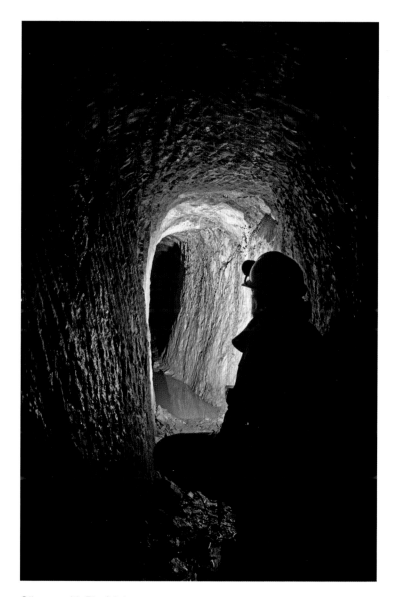

Cwmystwyth

Y mwynglawdd a golau dydd yn torri drwodd

Light shines down an open stope

(Simon Evans)

Olion gwaith Rhufeinig

Roman mine levels

(Simon Evans)

Pont-rhyd-y-groes

Gwaith coedwigaeth

Forestry work

Adfeilion mwyngloddio, Fron-goch – Gorsaf Bŵer
Pontceunant a adeiladwyd yn 1899

Remains of lead mining at Fron-goch –
Pontceunant Generating Station, built in 1899

Ger / near Fron-goch

THE WEST VIEW OF STRATFLOUR ABBY, IN THE COUNTY OF CARDIGAN.

To Richard Stedman Esq.r
This Prospect is humbly Inscrib'd by
his most Oblig'd Servants
Sam.l & Nath.l Buck.

STRATFLOUR in British Munachlog Ystrad Flur, in Latin Stmts Florida Vox Rosus Prince of South Wales in the Year 1164 built a Cistercian Abby of the Order of S.t Benedict, which was burnt in the Welch Wars by King Edward I.t and by him rebuilt about AD.1238. Many of the Welch Princes were buried here, this being in their Times a Venerable Structure & where their Successions and Acts from AD.1156 to 1270 were kept and Recorded . An Fel. 118. 7. 5 Dug. 112. 6 6 speed. Soon after the Dissolution It became the possession of John Stedman Esq.r In which Family it has continued to Richard Stedman Esq.r the present worthy Proprietor. Sam.l & Nath.l Buck delin .et Sculp. Publish'd according to Act of Parliam.t March 25. 1741.

Abaty Ystrad-fflur a Thŷ Stedman (Y Plas, neu'r Fynachlog Fawr). Sefydlwyd abaty Sistersiaidd Ystrad-fflur gan fynachod o Hendy-gwyn yn 1164, ac mae ei ddylanwad enfawr yn bellgyrhaeddol yn hanes y sir.

The west view of Stratflour Abby. The engraving clearly shows the 'Plas' or Stedman House. The Cistercian abbey at Strata Florida was founded in 1164 by monks from Whitland Abbey, and its immense influence pervades the history of the county.

(Samuel a Nathaniel Buck, 1741)

Y tu mewn i Dŷ Stedman, a darlun o'r diafol wedi'i beintio uwchben y lle tân

Interior of Stedman House; a depiction of the devil is painted above the fireplace

Bwa'r abaty hynafol a mynwent gyfoes Ystrad-fflur

Ancient arch and modern cemetery at Strata Florida

July 26th 1792.

*Ruin of the Arched Gateway of The Abbey of Stratfleur.
Now the Principal remaining part of this once Splendid Monastery.
. Cardiganshire .*

Adfeilion bwa abaty Ystrad-fflur

Ruin of the Arched Gateway of the Abbey of Stratfleur

(John 'Warwick' Smith, 1792)

Eglwys Ystrad-fflur

The church at Strata Florida

Un o nifer o ffenestri coffa i deulu dylanwadol James, Pantyfedwen

One of several windows dedicated to the influential James family of Pantyfedwen

Cerflun *Y Pererin* gan Glenn Morris, wedi'i wneud o hen goed derw a thrawstiau rheilffordd, yn y bryniau uwchben Ystrad-fflur

The Pilgrim, a statue by Glenn Morris made from recycled oak and old railway sleepers, looking down towards Strata Florida

towards = tuag at

Arwydd Soar-y-mynydd, a saif ar y ffordd
anghysbell tuag at Abergwesyn

Soar-y-mynydd chapel, on the narrow road
towards Abergwesyn

Soar-y-mynydd

Y drws i fyfyrdod

The door to contemplation

Soar-y-mynydd

Duw cariad yw

God is love

Y postmon, rhwng Tregaron ac
Abergwesyn

The postman, between Tregaron and
Abergwesyn

rhwng between
  'entre'
  zwischen

Y Diffwys, Tregaron

Gyda Mrs Hughes a'r teulu

With Mrs Hughes and family

(Geoff Charles, 1955)

a'r Teulu
  la famille

Swyddffynnon

(Arlunydd Cyntefig Cymreig / Welsh Primitive)

Parti ger Swyddffynnon

Party Central (near Swyddffynnon)

Gwesty'r Talbot a sgwâr Tregaron

The Talbot Hotel and Tregaron square

Tregaron

Arwyddion yr amserau – banciau'n·
cau

A sign of the times – bank for sale

amser time

yr amserau
s times

Tregaron, 1893

Dadorchuddio cofeb Albert Toft i Henry Richard

Unveiling of the Henry Richard statue made by
Albert Toft

(John Thomas)

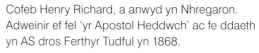

Cofeb Henry Richard, a anwyd yn Nhregaron.
Adweinir ef fel 'yr Apostol Heddwch' ac fe ddaeth
yn AS dros Ferthyr Tudful yn 1868.

The Henry Richard memorial. Born in Tregaron, he
is known as 'the Apostle of Peace', and became
MP for Merthyr Tydfil in 1868.

Cors Caron

Tregaron Bog

Ffordd droellog Llyn Brianne. Mae'r gronfa ar y ffin rhwng Ceredigion a Phowys.

The tortuous road around Llyn Brianne, a reservoir on the boundary between Ceredigion and Powys

adeiladu   to build

Dŵr yn llifo o argae Llyn Brianne. Cloddiwyd y clai i adeiladu'r
argae o ardal Soar-y-mynydd.

Water cascades from the spillway at Llyn Brianne reservoir.
The clay used to build the dam was transported here from the
Soar-y-mynydd area.

61

Cellan

Pentref genedigol y ffotograffydd Cymreig John Thomas

Birthplace of Welsh photographer John Thomas

(John Thomas)

Cardiganshire Assizes, Judges Arrival at Lampeter

Cerdyn post o 1956 yn dangos gosgordd y barnwr yn cyrraedd Llys Llanbedr Pont Steffan

Postcard sent in 1956 showing a judge's arrival at Lampeter Assizes

(Casgliad cardiau post Aberteifi / Cardigan postcards collection)

Quarry Club, Llanbedr Pont Steffan / Lampeter

yn ddangos = showing

Dim mynediad. Llanbedr Pont Steffan
No ID. Lampeter

WRONG

Mynediad = entrance

Identity card

Cerdyn adnabod

Campws Llanbed, Prifysgol Cymru Y Drindod Dewi Sant. Sefydlwyd y coleg gwreiddiol yn 1822.

The Lampeter campus of the University of Wales Trinity Saint David. The original college was founded in 1822.

Lampeter ~ Llanbadarn fan sreffan ? Llanbed ?
Llanbedr Pont sveffan + phs n short form...

Theatr Felin-fach

Mae'r theatr, a godwyd yn y 1970au, yn enwog am ei naws Gymreig a'i chynyrchiadau Cymraeg

Built in the 1970s, it is notable for its Welsh character and Welsh-language productions

Cloncan

Chatting

Sgwn i beth ddigwyddodd fan hyn? Arwyddion ffordd, ger Bwlch-llan.

A strange accident? Road signs near Bwlch-llan.

Bwlch-llan

Capel y Presbyteriaid. Adeiladwyd gyntaf yn 1841, adnewyddwyd yn 1876. Ganwyd Daniel Rowland (1713–90), un o bregethwyr mwyaf Cymru ym Mwlch-llan (ceir cofeb iddo yn Llangeitho). Cysylltir y pentref â'r hanesydd dylanwadol Dr John Davies, a symudodd yno ar ddiwedd yr Ail Ryfel Byd.

Presbyterian chapel, first built in 1841, and restored in 1876. One of Wales's most influential preachers, Daniel Rowland (1713–90), was born in Bwlch-llan, and a statue in his memory stands at Llangeitho. The village is also associated with the eminent historian Dr John Davies, who moved there at the end of the Second World War.

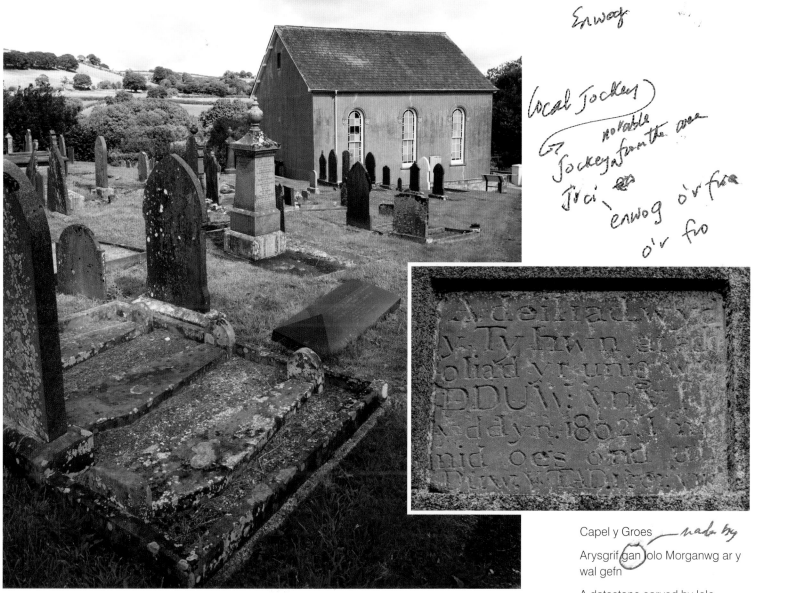

Capel y Groes, Llanwnnen

Sefydlwyd y capel Undodaidd hwn yn y 'Smotyn Du' yn 1802. Yn y fynwent ceir beddau Joseph Jenkins, y 'swagman' o Gymro, a Jack Jenkins, joci enwog o'r fro.

This Unitarian chapel in the 'Black Spot' was founded in 1802. The graves of Welsh swagman Joseph Jenkins and a famous local jockey, Jack Jenkins, can be found in the cemetery.

Capel y Groes

Arysgrif gan Iolo Morganwg ar y wal gefn

A datestone carved by Iolo Morganwg, set into the rear wall

Eglwys Sant Gwenog, Llanwenog – eglwys ganoloesol fwyaf cyflawn y sir. Adeiladwyd y tŵr gan Syr Rhys ap Thomas o Ddinefwr. D mutates to DD

Llanwenog church – the most complete medieval church in the county. The tower was built by Sir Rhys ap Thomas of Dinefwr.

history the tower = the historic tower?

gan ~ appears to be a passive state not 'made' but made by

Llanwenog

Bedyddfaen o'r ddeddegfed ganrif

Twelfth-century font

(handwritten annotations:)

Deu = 2 / 10th

2 + 10th = 12th

Curious double n̊

deu

d d e d

ganrif = siècle, century

Gors-goch

Cefn Hafod, tafarn Gymreig iawn yn ôl y sôn

Cefn Hafod inn, Gors-goch

Gors-goch

Llandysul, c. 1885

Stryd Lincoln

Lincoln Street

(John Thomas)

Eira yn Llandysul

Snow at Llandysul

(John Thomas)

Siop Gwalia Stores, Llandysul

Ymddangosodd y siop yn nheitlau agoriadol cyfres gyntaf *Pobol y Cwm* flynyddoedd yn ddiweddarach, yn 1974

The shop featured in the opening sequence of the first series of Welsh soap opera *Pobol y Cwm* much later, in 1974

(John Thomas)

Donald Morgan

Y bedwaredd genhedlaeth o'r un teulu i redeg Melin y Graig, melin wlân olaf Cymru i'w gyrru gan olwyn ⟨ddŵr⟩

The fourth-generation owner of Rock Mill, Wales's last working woollen mill continuously powered by a waterwheel

dŵr = H_2O
mutates to
ddŵr

Llandysul

Ymarfer rhwyfo ceufadau ar afon Teifi. Yr afon ar ei hyd yw'r ⟨ffin⟩ rhwng Ceredigion, Sir Gaerfyrddin a Sir Benfro.

Improving kayaking skills on the Teifi. The length of the river forms the ⟨boundary⟩ between Ceredigion, Carmarthenshire and Pembrokeshire.

Llandysul

Melin y Graig

Felin y Craig or Rock Mill

(Arlunydd Cyntefig Cymreig / Welsh Primitive)

Capel Dewi

Siop gymunedol

Community shop

Gwilym Marles

Gweinidog capel Llwynrhydowen,
a fu'n destun anghydfod chwerw â
thirfeddiannwr lleol. Roedd yn hen ewythr
i'r bardd Dylan 'Marlais' Thomas.

Minister of Llwynrhydowen chapel, which
became the focus of a bitter dispute with a
local landowner. He was the great-uncle of
poet Dylan 'Marlais' Thomas.

(John Thomas)

Capel Llwynrhydowen. Pan gafodd yr aelodau eu cloi allan o'r capel ar ôl iddynt bleidleisio yn erbyn
y tirfeddiannwr lleol, fe adeiladon nhw gapel newydd gerllaw.

Llwynrhydowen chapel. When the members were locked out of their chapel by the local landowner
for voting against his interests, they built a new chapel nearby.

Henllan

Adfail

Ruin

Caffi Rheilffordd Dyffryn Teifi

Teifi Valley Railway Café

IN
HONOURED MEMORY OF
THE MEN OF THIS DISTRICT
WHO FELL IN THE
GREAT WAR, 1914 - 1919.
CAPT. M.K.A.LLOYD. Coed. Gd.
LT. R.B.DAVIES. R.F.C
LT. D.JONES. S.W.B.
CPL. LL.EVANS. W.H.
CPL. T.S.HAVARD. W.G.
DVR. H.A.CLOAKE. R.F.A.
DVR. J.G.GRIFFITHS. R.F.A.
GNR. D.LEWIS. R.F.A.
SIGR. E.W.DAVIES. W.Reg.
"GWELL ANGEU NA CHYWILYDD."

Cofeb ryfel Aber-banc. Mae cefn y milwr at afon Cynllo a'i wyneb tuag at yr ysgol leol. Mae'r safle gwledig yn f'atgoffa'n fwy nag unrhyw gofeb arall am effaith y Rhyfel Mawr ar fywyd pob rhan o gefn gwlad Cymru.

War memorial, Aber-banc. The soldier's back is to the river Cynllo and the valley below, and he faces the local school. A stark reminder of how even the most rural of communities were affected by the Great War.

Pont Emlyn ac Adpar.

Emlyn bridge and Adpar

Adpar a phont Emlyn o'r ochr arall. Roedd y pentref, a oedd ar un adeg yn frith o dafarndai, yn fan pwysig iawn ar siwrnai'r porthmyn.

Adpar and the Emlyn bridge from the other side. The village, once full of inns, was an important stopping-off point for drovers.

(Thomas Rowlandson, 1794)

Y Ras yr Iaith gyntaf yn croesi pont Emlyn

The first 'Ras yr Iaith' (race for the language) crosses the Emlyn bridge

Y wasg Gymraeg gyntaf yng Nghymru, a sefydlwyd gan Isaac Carter yn 1718 ar yr hyn a dybiaf yw safle hen dafarn y Salutation yn Adpar

The first Welsh printing press, founded by Isaac Carter in 1718 on what I believe ~~may be~~ *is* the site of the Salutation Inn, Adpar

Llandyfriog

Eglwys Sant Tyfriog

St Tyfriog Church

'Alas Poor Heslop', beddargraff Thomas Heslop, y dyn olaf i'w ladd mewn gornest yng Nghymru. Gŵr bonheddig o Jamaica oedd Mr Heslop, ac fe'i lladdwyd yn Adpar ar 10 Medi 1814. Claddwyd ei gorff ym mynwent eglwys Llandyfriog.

'Alas Poor Heslop', inscribed on the headstone of Thomas Heslop, the last person to be killed in a duel in Wales. A Jamaican gentleman, he met his end at Adpar on 10 September 1814, and is buried at Llandyfriog church.

Pont Cenarth

Cenarth bridge

(John Thomas)

Cenarth

Coets

Coach and horses

(John Thomas)

Melin Cenarth fel y'i gwelir o ochr Ceredigion i afon Teifi. Mae Cenarth ar ffin siroedd Caerfyrddin, Penfro a Cheredigion.

Cenarth Mill, seen from the Ceredigion side of the river Teifi. Cenarth straddles Carmarthenshire, Pembrokeshire and Ceredigion.

Pont wahanol! Criw achub yn paratoi ar gyfer antur ceufadau Taith Teifi, Cenarth.

A different kind of bridge! A safety crew prepare for the Teifi Tour kayak challenge at Cenarth.

Hwyl ar yr afon

Foam and kayaks

Castell Aberteifi

Cardigan Castle

(James Newton, 1784)

Llongau Aberteifi

Ships at Cardigan

(Cox a Radclyffe, 1844)

Afon Teifi, Aberteifi

The river Teifi at Cardigan

Merched ger afon Teifi

Figures beside the Teifi

(Caleb Robert Stanley, c. 1800)

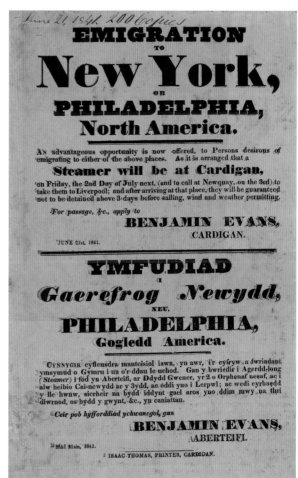

Poster ymfudo i Efrog Newydd a Philadelphia, 1841. Roedd Aberteifi'n ganolfan bwysig ar gyfer yr ymfudo mawr i ffoi rhag tlodi a gorthrwm crefyddol a gwleidyddol yn ystod y bedwaredd ganrif ar bymtheg.

An 1841 poster promoting emigration to New York and Philadelphia. Cardigan was an important embarkation point for the thousands seeking to escape poverty and religious and political repression during the nineteenth century.

Adlewyrchiad tai yn afon Teifi

Houses reflected in the river, Cardigan

Gŵyl Fawr Aberteifi, 1960

A festival, held for the first time in the town in 1953

(Geoff Charles)

Stryd Fawr Aberteifi

High Street, Cardigan

(Joseph Clougher, 1853)

annual

Yr orymdaith drwy'r dref ar Sadwrn Barlys – un o ddigwyddiadau blynyddol pwysicaf Aberteifi

The parade through the town centre on Barley Saturday – one of Cardigan's most important annual events

Sadwrn Barlys: y sioe geffylau

Barley Saturday: the horse show

cerdedd to walk
rhedeg to run

Sadwrn Barlys: rhedeg y stalwyni ar hyd strydoedd y dref

Barley Saturday: running the stallions through the streets

Dosbarth dysgu Cymraeg i oedolion, Aberteifi. Gan fod newidiadau demograffig mawr yn gwasgu ar y defnydd o'r Gymraeg yn y gymuned, mae lle'r dysgwyr ym mharhad yr iaith yn gynyddol bwysig.

Adult Welsh learners' class, Cardigan. With unprecedented demographic changes squeezing the Welsh language, adult learning plays an increasingly important role in its future.

lle = place

dysgu dysgwyr
to learn learning

iaith = language/future

Cei Aberteifi, a geiriau englyn y Prifardd Ceri Wyn Jones:

Fel glaw hallt, fel awel glyd, fel hiraeth, / fel y wawr a'r machlud, / mae ffarwél a dychwelyd / yn yr afon hon ynghyd.

Cardigan Quay. The words are by chaired and crowned bard Ceri Wyn Jones. The poem 'Y Cei' reminds us that this quay was historically a point of both departure and return, and, as such, is a site of contradictory emotions. For those leaving or returning, and those bidding farewell or welcoming loved ones home, it is a place of beginnings and endings, of sunset and sunrise; it can be as bitter as brine or as comforting as a breeze.

Stalwyn

Stallion

Ynys Aberteifi

Cardigan Island

Traeth Poppit

Poppit Sands

Patch

Y Ferwig

Hen arwydd

Old sign

Salmon Fishing at Gwbert, Cardigan

Bois y Sân yn pysgota am eogiaid, Gwbert: cerdyn post a anfonwyd yn 1910. Daeth eu henw o'r rhwydi 'seine' a ddefnyddiwyd yn y dull hwn o bysgota.

'Bois y Sân', salmon fishing at Gwbert, postcard sent in 1910. Their name is derived from the 'seine' nets used in this method of fishing.

(Llyfrgell Genedlaethol Cymru / National Library of Wales)

Mwnt yn y niwl

Misty Mwnt

Byrnau mawr

Silage bales

Mwnt

Eglwys y Grog. Credir mai capel i longwyr yr
Oesoedd Canol oedd yr eglwys yn wreiddiol.

Church of the Holy Cross. It is thought that it was
originally a medieval sailors' chapel of ease.

Y traeth, sydd nawr yn eiddo i'r Ymddiriedolaeth
Genedlaethol

The beach, now owned by the National Trust

Capel Blaenannerch, un o brif darddleoedd Diwygiad 1904/05 a ymledodd fel tân gwyllt drwy Gymru ac a aeth ar draws y byd

Blaenannerch chapel, where the 1904/05 religious revival, which swept across Wales and expanded around the world, began

Traeth Aber-porth beach

Kayaks a Chips, Tre-saith

Tre-saith

Rhaeadr afon Saith yn disgyn dros y clogwyn i'r môr

The falls, which enter the sea straight over the edge of the cliff

Cofeb hynafol ger Tre-saith, ac arni'r arysgrif 'CORBALENGI IACIT ORDOVS' (yma y gorwedd Corbalengus yr Ordoficiad). Llwyth o ogledd Cymru oedd yr Ordoficiaid. Darganfuwyd olion Rhufeinig o dan y garreg.

Roman *rock = garreg* *N wales*

An ancient memorial stone near Tre-saith inscribed 'CORBALENGI IACIT ORDOVS' (here lies Corbalengus the Ordovician). Roman remains were discovered beneath the memorial.

Eglwys Sant Mihangel, Penbryn, un o eglwysi hynaf y sir. Mae wedi'i lleoli o fewn cylch, sy'n awgrymu ei bod yn ddyddio o Oes y Seintiau.

Hidden inland from the beach at Penbryn is St Michael's, one of Ceredigion's quaintest churches, which stands within a circle, hinting at its early roots.

Penbryn

Traeth gorau'r sir yn ôl rhai, sydd bellach yn eiddo i'r Ymddiriedolaeth Genedlaethol

The best beach in the county according to many, now owned by the National Trust

Genedlaethol ~ national

Carreg Bica & Beach, Llangranog Cardiganshire Nº1015

Cerdyn post yn datgan y byddai'r anfonwraig yn teithio adre dan olau'r lloer, ac nad oedd hi'n ofni'r 'bwci'! Carreg Bica yw'r llun, craig fawr Ordoficaidd a saif ar ganol traeth Llangrannog.

'... Intend riding home by moonlight ... fear no bwci (bogeyman)'. A postcard showing Carreg Bica, an Ordovician stone outcrop in the centre of Llangrannog beach.

(Llyfrgell Genedlaethol Cymru / National Library of Wales)

Arfordir Llangrannog. Mae cerflun o Sant Carannog gan y cerflunydd lleol Sebastien Boyesen yn edrych i lawr dros y pentref.

Llangrannog coastline. A statue of St Carannog by local sculptor Sebastien Boyesen looks down upon the village.

Sarah Jane Rees, 'Cranogwen'

Un o enwogion y sir. Roedd Sarah Jane yn ferch i gapten
llong. Enillodd Dystysgrif Meistr ac agor ysgol forwrol
yn Aberystwyth. Daeth i fri fel awdur a phregethwraig, a
sefydlodd Undeb Dirwestol Merched De Cymru.

One of the most notable people associated with the county.
The daughter of a sea captain, she studied navigation,
obtained a Master's Certificate and opened a navigation
school in Aberystwyth. An acclaimed writer and lay preacher,
she also established the South Wales Women's Temperance
Union.

(John Thomas)

109

Llangrannog

Safle gwersyll yr Urdd uwchlaw'r pentre

The site of the Urdd centre above the village

Traeth Cwmtudu beach

Ymwelwyr o'r Cymoedd yn torheulo a joio

Retirees from the south Wales Valleys enjoy a respite

Ceinewydd, pentref a ysbrydolodd Dylan Thomas

New Quay, a village which provided inspiration for Dylan Thomas

Llongddrylliad y *Bronwen* ar greigiau yng
Ngheinewydd, 21 Hydref 1891

*Wrecked at New Quay – Bronwen, 21 October
1891*

(Llyfrgell Genedlaethol Cymru / National Library of Wales)

Llong y *Marys* a adeiladwyd yng Ngheinewydd

The schooner *Marys* built at New Quay

(Ysgol Brydeinig / British School, 1880)

Aberaeron

William Morris Jones, Colonial Stores, Aberaeron, c. 1900

(D. C. Harries)

Cae Sgwâr, Aberaeron

Sioe

Show

(Llyfrgell Genedlaethol Cymru / National Library of Wales)

Aberaeron

Llongwyr

Mariners

(Llyfrgell Genedlaethol Cymru / National Library of Wales)

Gŵyl Bwyd Môr Bae Ceredigion

Cardigan Bay Seafood Festival

Carnifal Aberaeron, Cae Sgwâr

Aberaeron carnival, held in the town centre

IN MEMORY
OF
DAVID SINNETT-JONES
1930 — 2004

A distinguished yachtsman, having survived cancer with the loss of a lung and part of his heart in his forties, took up the challenge of ocean sailing. From this harbour he sailed first to South Africa in a 26 foot boat, followed by a single handed voyage around the world in his self-built 'Zane Spray', becoming the first disabled single-handed Cape Horner. For his final voyage in 1999 he built a replica of the 'Liberdade' used by his hero, Joshua Slocum, one hundred years earlier and re-enacted his voyage from Paranagua in Brazil to New York.

A great hearted man with astonishing determination and courage

Gwesty'r Harbourmaster

Ah father slocum!
(a good book here)

Rather a posh hotel! a 'bourgeois' Gwesty

Er cof am yr anturiaethwr David Sinnett-Jones

Remembering David Sinnett-Jones, adventurer

Adlewyrchiadau fin nos

Reflections at dusk

Cerflun o gobyn Cymreig, gan David Mayer. Mae Ceredigion yn enwog drwy'r byd am feithrin y brid arbennig hwn o geffylau.

Welsh cob statue by David Mayer. Ceredigion is world famous for developing this strong and beautiful breed.

Aber-arth

Yn ystod y ddeuddegfed ganrif roedd yn fan glanio nwyddau ar gyfer Castell Dinerth, ac yna adeg adeiladu Ystrad-fflur ar gyfer mewnforio cerrig i godi'r abaty

Once a supply route for the nearby twelfth-century Dinerth castle, and later used by the monks of Strata Florida to import stone for the building of the abbey

Eglwys Llanddewi Aber-arth church

Bedd llongwr 20 oed, a foddodd ar ddydd Nadolig. Ym mynwent yr eglwys y gorwedd Syr Geraint Evans a'r Athro Hywel Teifi Edwards hefyd.

Grave of a 20-year-old sailor, who drowned on Christmas Day. Others who rest here include the renowned opera singer Sir Geraint Evans, and Professor Hywel Teifi Edwards.

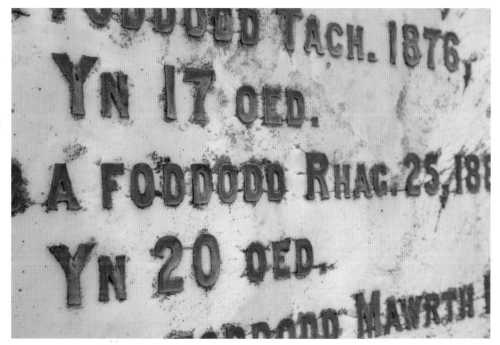

Llan-non

Gwartheg yn pori

Cattle grazing

Tŷ Mawr, Llan-non

Gwerthu marchnadoedd, ie drops "G"

Byffalo. Mae'r fferm hon yn cynhyrchu caws byffalo i'w werthu mewn marchnadoedd lleol.

Buffalo. This farm produces buffalo cheese which is sold in local markets.

marchnad = mkt
marchnad + oedd = mkt + s
in marchnadoedd to "f"
Arch farchnad = Supermarket

Llan-non

Ceffyl gwedd, ymryson aredig

Shire horse at a ploughing match

ymryson = match

Ymryson aredig

Ploughing match

Spanish = aran = plough
aredig

Ymryson = match

Llan-non

Beiblau, eglwys Llansanffraid

Bibles, Llansanffraid church

Eglwys Llanrhystud church

(Arlunydd Cyntefig Cymreig / Welsh Primitive)

Cofeb beirdd y Mynydd Bach, uwchlaw Trefenter. Ganwyd nifer o lenorion yn yr ardal hon, a chyflwynir y gofeb i'r beirdd isod:

A memorial above Trefenter, commemorating four local poets, known as the 'Poets of Mynydd Bach'. They are:

J. M. Edwards (Llanrhystud), B. T. Hopkins (Lledrod), E. Prosser Rhys (Bethel, y Mynydd Bach), T. Hughes Jones (Blaenafon).

Pedwar

beirdd Bards, poets

Beulah

oh! y bwlch ffôn!

Hen fwthyn Troed Rhiw ar drofa Tregynon Isaf, safle wal 'Cofiwch Dryweryn'. Llosgwyd y bwthyn yn ystod y 1930au.

Troed Rhiw cottage on the Tregynon Isaf corner, site of the 'Cofiwch Dryweryn' wall. The cottage burned down in the 1930s.

(C. H. Dierkes)

That cottage →
burned down ..

Peintiwyd y wal yn wreiddiol gan Dr Meic Stephens yn y 1960au i atgoffa teithwyr o foddi Cwm Celyn gan Fwrdeistref Lerpwl

'Remember Tryweryn' – the words were originally painted on the wall during the 1960s by Dr Meic Stephens to remind travellers of the drowning of Capel Celyn by the Liverpool Corporation

er

dryweryn?

a village?

1960au ~ 1960's ?

Llanrhystud

Traeth a charafannau

Coastline

traeth ~ beach, playa. plage

Clarach

Machlud, Parc Gwyliau Glan y Môr

Sunset at Glan y Môr Holiday Park

Glan y môr

View the Sea = Sea view

Bae Clarach, carafannau a chaffi

Clarach Bay with caravans and a tea house

{Arthur Lewis)

ah! Tea wagon "Chaffi"
Summer '21 R, Duncan. Guy + B had a
play here.

Casglwyr gwichiaid rhwng Aberystwyth a Chlarach

Periwinkle gatherers at Aberystwyth. Looking south towards Aberystwyth.

(Arlunydd Cyntefig Cymreig / Welsh Primitive)

Drosodd / over

Machlud o Glarach

Sunset at Clarach

Drosodd = "over"

Machlud = Sunset,

Clarach

Piod y môr adeg storm fawr

Oystercatchers in heavy weather

Sarn Cynfelyn ac Eryri. Cysylltir y Sarn yn aml â chwedl boddi Cantre'r Gwaelod.

Sarn Cynfelyn and Snowdonia. The Sarn is often associated with the myth of the drowned land of Cantre'r Gwaelod (the Lower Hundred).

Sarn Cynfelyn

Marian sy'n ymestyn o Wallog am tua 14 km allan i Fae Ceredigion

A glacial moraine stretching some 14 km out to sea from Wallog

Y gwynt yn hyrddio 100 milltir yr awr, ond mae amddiffynfeydd newydd yn arbed y Borth rhag difrod gan y storm

100 mph gusts hitting the coast, but new sea defences protect Borth from the worst ravages of the storm

Hen longwyr y Borth

Mariners at Borth

(John Thomas)

The Borth old Sailors

Y Borth

llong mutates to long

Llongwr, plant a model o long

Sailor, children and model ship

(Arthur Lewis)

SEASIDE. ATTRACTIONS. BORTH.

Y Borth

Dyn, ei organ a'i fwnci = Dyn, his organ + monkey!

Mwnci mutates to "fwnci"

Seaside attractions

(Arthur Lewis)

Drosodd = over

Drosodd / over

Y Borth

Adlewyrchiadau

Reflections

Llwybr serth ar yr arfordir rhwng y Borth a Chlarach

Steep coastal path between Borth and Clarach

Y Borth

Nosi

Dusk

Nosi = Dusk

Machlud = Sunset

Y Borth

Parc gwyliau

Holiday park

Cors Fochno ar dân wedi i'r gwynt ddymchwel polyn trydan

Borth Bog burning. The fire was set off by a spark from an electricity pole blown down during a storm.

Tudalennau / pages 146–7

Olion coedwig danddwr y Borth wedi'u dadorchuddio dros dro gan stormydd geirwon gaeaf 2013/14. Ceir yma olion coed pinwydd, deri, gwern a bedw rhwng 4,000 a 6,000 o flynyddoedd oed.

The remains of a submerged forest at Borth, revealed by the vicious storms of 2013/14. The alder, birch, oak and pine have been dated at between 4,000 and 6,000 years old.

Ceffyl, Cors Fochno

Horse, Borth Bog

Y twyni tywod yn Ynys-las, sy'n rhan o'r Warchodfa Natur Genedlaethol ar ddiwedd taith afon Dyfi i'r môr

Dunes at Ynys-las, a National Nature Reserve at the mouth of the Dyfi Estuary

Ynys-las

Cyrraedd y traeth llydan

Arriving at the beach

Pebyll cysgodi

Colourful shade

Ynys-las

Ci ar ddydd Nadolig

Dog on Christmas Day

Fan hufen iâ yn y glaw, Gŵyl y Banc

Ice-cream on a murky Bank Holiday

Tân gwyllt dros afon
Dyfi o Ynys-las

Aberdyfi fireworks
display seen from
across the Dyfi Estuary
at Ynys-las

drosod = 'over'
cf
dros

RSPB, Ynys-hir
I ble, pa ffordd?
Here, there and everywhere

Ynys-hir

Gwyddau Canada

Canada geese

Gwanwyn

Springtime

Ynys-hir

Llwybr pren

Boardwalk

Y rheilffordd i Aberystwyth yn mynd drwy
warchodfa natur Ynys-hir

The main line to Aberystwyth as it passes through
the Ynys-hir nature reserve

Ynys-hir

Brwyn

Rushes

Ffwrnais Ddyfi, hen ffwrnais chwyth o'r ddeunawfed ganrif a ddefnyddid i fwyndoddi haearn

Dyfi Furnace, a restored eighteenth-century charcoal-fired blast furnace, once used for smelting iron ore

Ffwrnais Ddyfi, braslun pensil, 1800 neu 1810

Dovey Furnace, pencil sketch, 1800 or 1810

(O bosib gan / attributed to William Payne)

Eglwys-fach

Eglwys Sant Mihangel, lle bu'r bardd R. S. Thomas yn ficer rhwng 1954 ac 1967. Tra oedd yno, fe drefnodd i beintio'r tu mewn, gan gynnwys y seddau, yn ddu.

St Michael's Church. The poet R. S. Thomas was vicar here between 1954 and 1967. During his tenure, he had the interior (including the pews) painted matt black.

Ffenest eglwys

Church window

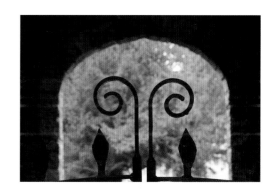

Giât yr eglwys

Church gate

Tre Taliesin, c. 1886

Ysgol Sul Rehoboth

Rehoboth Sunday School

(John Thomas)

Yr A487, y brif ffordd rhwng Ceredigion a gogledd Cymru

The A487, the main route between Aberystwyth and north Wales, at Tal-y-bont

Tal-y-bont

Ffair wartheg

Cattle fair

(John Thomas)

Tal-y-bont

Llifogydd, Mehefin 2012

Floods, June 2012

Y Celtiaid yn cyrraedd. Rali Clybiau Ffermwyr Ifanc Ceredigion. Sefydlwyd y clybiau yn 1941, ac mae 20 clwb yn y sir, a chanddynt tua 750 o aelodau gweithgar.

Celtic challenge! Ceredigion Young Farmers' Rally. Established in 1941, the 20 clubs in the county have around 750 active members.

Bwlch Glas

Mwynglawdd plwm Bwlch Glas, a gaewyd yn 1923

Bwlch Glas lead mine, which closed in 1923

(Llyfrgell Genedlaethol Cymru / National Library of Wales)

Dan y ddaear

Lift shaft, lower level

(Simon Evans)

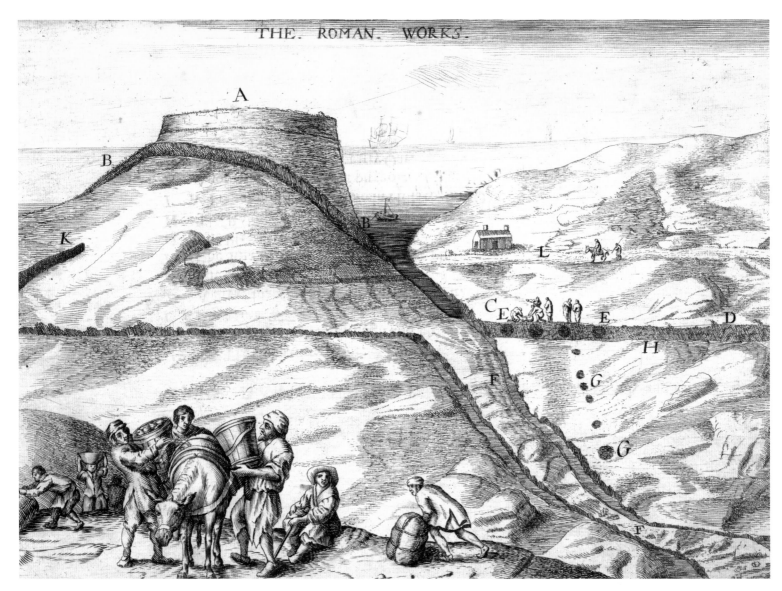

Gwaith y Darren, o *Fodinae Regales*

The Roman Works – Darrein Hills, from *Fodinae Regales*

(Sir John Pettus, 1670)

Cwm Ceulan

Ar y ffordd gul rhwng Tal-y-bont a Phumlumon

On the very narrow road from Tal-y-bont to
Pumlumon

Coedwigaeth

Forestry

Mynydd Gorddu

Arallgyfeirio ar yr ucheldir

Diversification in the uplands

Capel y Garn, Bow Street

Sefydlwyd yr achos Presbyteraidd hwn tua 1793. Adeiladwyd y capel presennol yn 1833, a'i adnewyddu yn 1900.

This listed Presbyterian chapel was founded c. 1793. The present chapel was built in 1833 and modernised in 1900.

Rhydypennau

Pleidleisio neu ...

Voting or ...

Rhydypennau

Sioe Arddwriaethol

Horticultural Show

Drosodd / over

Bow Street

Gwe pry cop yn yr ardd gefn

Cobweb in the back garden

Gogerddan

Athrofa'r Gwyddorau Biolegol, Amgylcheddol a Gwledig

Institute of Biological, Environmental and Rural Sciences (IBERS)

Syr George Stapledon, 1956

Sefydlydd y Fridfa Blanhigion, IBERS bellach

Founder of the Plant Breeding Station, now IBERS

(Geoff Charles)

Gogerddan, 1822

(John Preston Neale)

Helfa Gogerddan tua 1860. Roedd stad Gogerddan yn un o amryw o ystadau pwysig yn y sir, a ffynnodd o gyfnod dileu'r mynachlogydd hyd y Rhyfel Mawr.

Gogerddan Hunt c. 1860. Gogerddan was one of several important estates in the county which flourished from the time of the dissolution of the monasteries until the Great War.

(Ysgol Brydeinig / British School)

Clychau glas yn y goedwig

Bluebells in the woods

Coedwig Gogerddan

Gogerddan woods

Brogynin

Cartref Dafydd ap Gwilym (c. 1340–70), un o feirdd enwocaf Cymru

The home of Dafydd ap Gwilym (c. 1340–70), one of Wales' greatest poets

(Llyfrgell Genedlaethol Cymru / National Library of Wales)

Cofeb yr Academi Gymreig i Dafydd ap Gwilym

The Welsh Academy memorial to Dafydd ap Gwilym

Nanteos

Gan yr engrafwyr Stannard a Dixon, tua 1852

By engravers Stannard and Dixon, c. 1852

Nanteos

Plasty ac iddo hanes hir, diddorol a rhyfedd iawn ar brydiau, sydd bellach yn westy moethus

An important Ceredigion mansion with a long and sometimes colourful history, now a luxury hotel

Bedydd yn Llanbadarn

Baptism at Llanbadarn

(Arlunydd Cyntefig Cymreig / Welsh Primitive)

Llanbadarn Fawr

Eglwys Padarn, un o eglwysi pwysicaf a mwyaf hynafol y sir

Padarn Church, one of the most important and ancient churches in the county

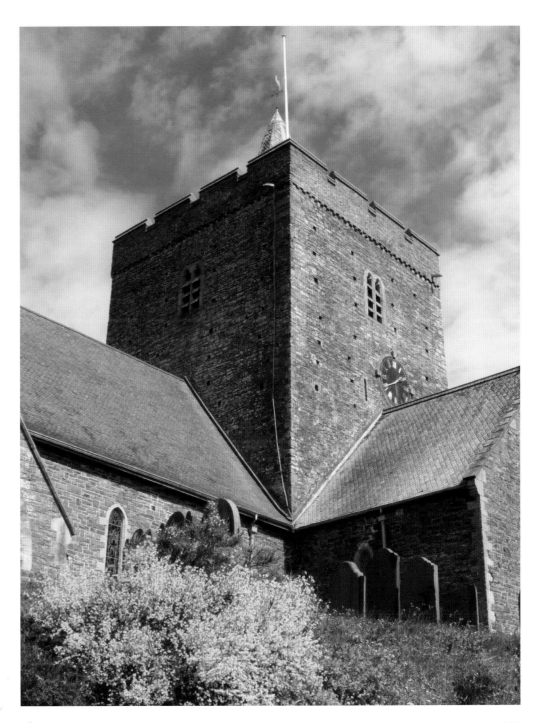

Tanycastell, 1935

Ras drotian

Harness race

(Arthur Lewis)

Tanycastell, 2014

Rasys trotian

Harness racing

Pendinas, a saif i'r de o dref Aberystwyth uwchlaw Tan-y-bwlch, yw'r mwyaf o nifer o gaerau'r Oes Haearn yng ngogledd y sir

Pendineas and the River Ystwith – Pendinas, to the south of Aberystwyth overlooking Tan-y-bwlch, is the largest of several Iron Age hill forts in the north of the county

(Arlunydd Cyntefig Cymreig / Welsh Primitive)

Cofeb Dug Wellington

Wellington memorial

Harbwr Aberystwyth

Aberystwyth Harbour

(Arlunydd Cyntefig Cymreig / Welsh Primitive)

Fflatiau Plas Morolwg, a ddymchwelwyd yn 2015 wedi difrod gan storm

Plas Morolwg flats, overlooking Aberystwyth harbour, demolished in 2015 following severe storm damage

Marchnad Aberystwyth

Market Day at Aberistwith

(Thomas Rowlandson, c. 1797)

Marchnad y ffermwyr, 2013

Farmers' market, 2013

Morglawdd rhwng yr harbwr a thraeth Tan-y-bwlch. Un o fy hoff lefydd yn y byd!

The concrete breakwater between the harbour and Tan-y-bwlch beach. One of my very favourite places!

Aberystwyth

Plymio o'r lanfa bren

Jumping off the timber jetty

Drosodd / over

Aberystwyth o'r môr

A kayaker's eye view of Aberystwyth

Pasiant Heddwch Urdd Gobaith Cymru (1935), a Syr Ifan ab Owen Edwards yn arwain yr orymdaith

The Urdd Peace Procession through the streets (1935), led by Sir Ifan ab Owen Edwards

(Arthur Lewis)

Tudalennau blaenorol / previous pages

Adlewyrchiadau o dan y pier

Reflections under the pier

Parêd Gŵyl Ddewi cyntaf Aberystwyth, 2013, gyda'r pibydd Ceri Rhys Matthews a'r diweddar Dr Meredydd Evans yn arwain yr orymdaith drwy'r dref

The first Aberystwyth St David's Day Parade, 2013, led though the town by piper Ceri Rhys Matthews and the late Dr Meredydd Evans

'Aber' yn llonydd yn yr haul

'Aber' basking in the sunshine

Man ymdrochi ger Aberystwyth

Bathing Place ... near Aberystwyth

(Casgliad Tirlun Cymru / Welsh Landscape Collection, c. 1800)

Triathlon Aberystwyth

Castell Aberystwyth

Aberystwyth castle

(Arlunydd Cyntefig Cymreig / Welsh Primitive)

Rasio beiciau heibio'r castell

Racing past the castle

Gŵyl Seiclo Aberystwyth – wps!

Aberystwyth Cyclefest – oops!

Drosodd / over

Drudwyod dros y bae. Dros fisoedd
y gaeaf, mae miloedd o'r adar yn
clwydo bob nos dan y pier ac yn
creu patrymau difyr wrth iddynt
ymgasglu.

Starlings over the bay. Thousands
of the birds gather under the pier
during the winter months. At dusk
they often gather together to create
wonderful patterns in the sky.

Storm

23 Rhagfyr 2013

23 December 2013

Ton

Wave

Tan-y-bwlch

Pâr ifanc o Wlad Pwyl yn dathlu pen-blwydd eu perthynas gan wynebu'r ddrycin

A young Polish couple celebrate their first anniversary in exhilarating fashion

John Vaughan Butters

Gyda'i fulod ar y prom. Ei daid, Peter Vaughan, sefydlodd gwmni Mulod Traeth Aberystwyth.

With his donkeys on the prom. His grandfather Peter Vaughan started the Aberystwyth Beach Donkeys Company.

Tan-y-bwlch

Dan yr ambarél

Hot dog, heatwave

Aberystwyth

Brenhines y Carnifal

Carnival Queen

Carnifal y dref – criw'r Animalarium

The town carnival – the Animalarium float

Diddanwyr Harry Collins ar y pier, tua 1905

Harry Collins' Minstrel Troupe on the pier, c. 1905

(Arthur Lewis)

Bandstand a dawnsio gwerin

Folk dancing at the old bandstand

Cysgodfan cyhoeddus, newydd ei adfer

Public shelter, newly restored

Machlud dros y pier

Sunset over the pier

Drama *Y Bont* (2013) gan Theatr Genedlaethol Cymru, wedi'i seilio ar brotest gyntaf Cymdeithas yr Iaith Gymraeg yn 1963 ar Bont Trefechan

Y Bont (2013), a location-specific production by Theatr Genedlaethol Cymru, based on the first Welsh Language Society protest, which took place in 1963 on the Trefechan Bridge

Protest yn erbyn cau Neuadd Pantycelyn, 2013

A 2013 protest against the proposed closure of Pantycelyn student hall of residence

Adlewyrchiad o noson liwgar – cystadleuaeth Côr Cymru yng Nghanolfan y Celfyddydau

Reflecting on a colourful evening at a televised choir competition in the Arts Centre

Traed blinedig iawn ar ôl y cystadlu

Very tired feet after competing

Plant ar y prom

Kids will be kids, on the prom

Hen griw'r bad achub

Former lifeboat crew

(Arthur Lewis)

Pêl-droed yng Nghoedlan y Parc

Football at the Park Avenue ground

Y Brenin Siôr V a'r Frenhines Mari'n cyrraedd Aberystwyth i osod carreg sylfaen y Llyfrgell Genedlaethol, 15 Gorffennaf 1911

King George V and Queen Mary arriving at Aberystwyth to lay the foundation stone of the National Library of Wales, 15 July 1911

(Llyfrgell Genedlaethol Cymru / National Library of Wales)

Dathlu canmlwyddiant gosod y garreg sylfaen honno

Celebrating the centenary of the laying of that same foundation stone

Llyfrgell Genedlaethol Cymru

The National Library of Wales

Diwedd y daith

Rwy'n gobeithio eich bod wedi mwynhau'r siwrnai weledol. Fe fyddwn wedi dymuno cynnwys llawer mwy, ond dethol oedd raid!

Rwy'n amau fy mod wedi 'cymryd at' y sir o ddifrif. Mae popeth yno'n ennyn ymateb erbyn hyn. Weithiau, daw teimlad o foddhad o weld y machlud dros y bae, weithiau cynddaredd megis a geir gan riant sy'n synhwyro bygythiad i'w blentyn, wrth i mi weld datblygiad amhriodol, ac weithiau ton o'r felan wrth weld ffyrdd annwyl hen genhedlaeth yn llithro dros gof.

Cyn cychwyn, roeddwn yn poeni na fyddai'r sir yn ddim ond hen le diflas sydd 'ar i lawr'. Ond y gwrthwyneb a welais wrth i gymunedau ddod ynghyd mewn carnifal, rasys, dramâu, gwyliau bwyd, marchnadoedd ffermwyr, arwerthiannau defaid, sioeau pentref, ralïau ffermwyr ifanc, eisteddfodau, etholiadau, gwersi Cymraeg, nosweithiau corawl, sgyrsiau i gymdeithasau, protestiadau, sesiynau glanhau'r traethau, darlithoedd, a digwyddiadau di-ri – oedd yn profi bod Ceredigion yn lle bywiog, gyda dogn iach o bobl ag ewyllys da at yr etifeddiaeth, ac sy'n llawn angerdd dros ei dyfodol. Y bobl yn anad dim, ac yn fwy nag unrhyw gilcyn arbennig o'r ddaear, sydd wedi gadael yr ôl mwyaf wedi'r cyfan.

Journey's end

I hope that you've enjoyed our ride along the lanes. I could have included so much more, but a 'final cut' had to be made!

Along the way, I seem to have fallen a little in love with the county. Almost everywhere now provokes a reaction – sometimes warm contentment at a sunset over the bay, another time a parental rage against bad developments, and sometimes biting melancholy at seeing the cherished customs of a generation drift away.

I was worried at the start that Ceredigion might be a grey, declining place, but like a flower waiting for sun, it bursts open with life in the glow of any social event! Those I met at carnivals, races, theatrical performances, food festivals, farmers' marts, livestock sales, village shows, young farmers' rallies, eisteddfodau, elections, Welsh-language classes, choral evenings, society meetings, protests, seaside clean-ups, lectures, and myriad gatherings, proved to me that Ceredigion is alive and brimming with people who care for its heritage and who are passionate about securing its future. It's the Cardis, more than any particular spot on the landscape, that have left the most abiding impression.